DIENTES, COLAS Y TENTÁCULOS

Un libro de animales para contar

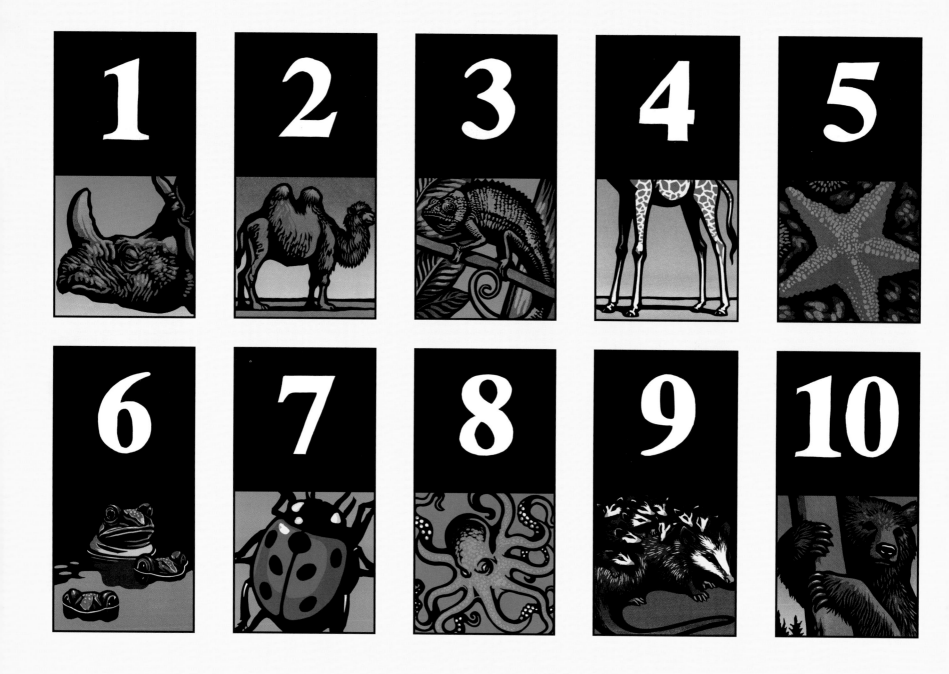

DIENTES, COLAS Y TENTÁCULOS

Un libro de animales para contar

CHRISTOPHER WORMELL

EDITORIAL JUVENTUD

PROVENÇA, 101 - 08029 BARCELONA

Quisiera dar las gracias a Elizabeth Encarnacion, Buz Teacher, Frances Soo Ping Chow, Dustin Summers y Andra Serlin por el concepto original de este libro, por algunas ideas magníficas para las ilustraciones, y por conseguir entre todos un resultado tan estupendo.

© Christopher Wormell, 2004

Título original: TEETH, TAILS & TENTACLES. AN ANIMAL COUNTING BOOK
© EDITORIAL JUVENTUD, S. A. 2006
Provença, 101 – 08029 Barcelona
info@editorialjuventud.es
www.editorialjuventud.es

Traducción castellana: Elodie Bourgeois Bertín
Primera edición, 2006
Depósito legal: B. 36.117-2006
ISBN 84-261-3555-2
ISBN 13: 978-84-261-3555-1
Núm. de edición de E. J.: 10.845
Printed in Spain
Limpergraf, c/ Mogoda, 29-31 Barberà del Vallès (Barcelona)

Para William

1

UN

cuerno
de rinoceronte

2

DOS

jorobas
de camello

3

TRES

colores
de camaleón

4

CUATRO

patas de jirafa

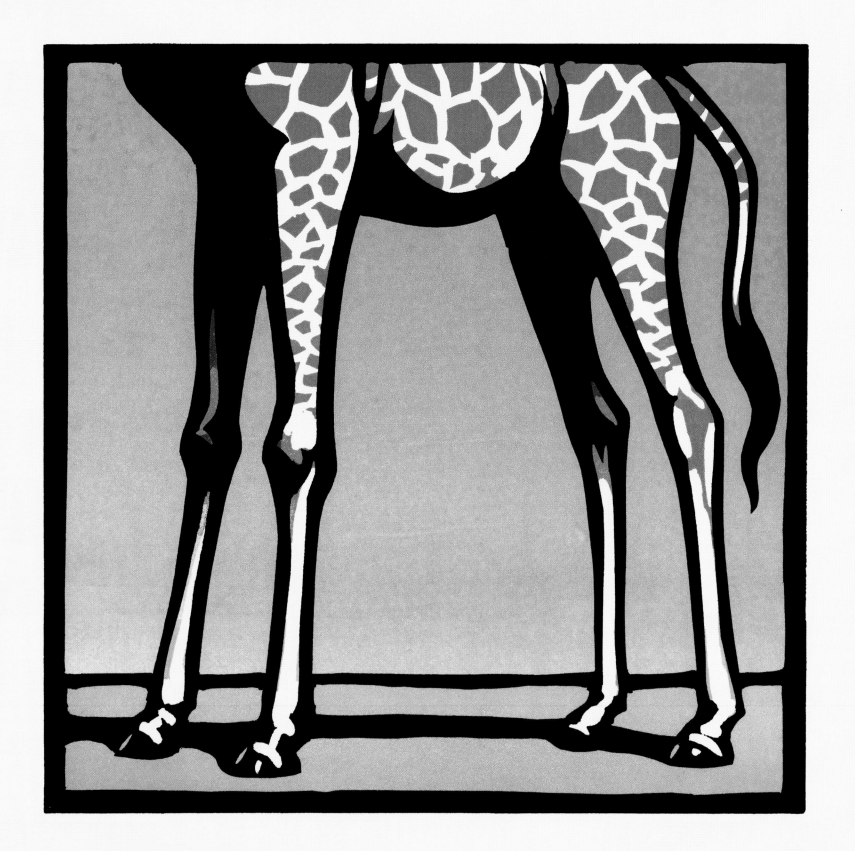

5

CINCO

brazos de estrella de mar

6

SEIS

ojos de rana

7

SIETE

puntos negros
de mariquita

OCHO

tentáculos
de pulpo

9

NUEVE

crías
de zarigüeya

10

DIEZ

garras de oso

11

ONCE

huevos de oca

12

DOCE

puntas en las
astas del ciervo

13

TRECE

segmentos
de oruga

14

CATORCE

anillos en la cola del lémur

15

QUINCE

manchas
de pantera

16

DIECISÉIS

bigotes
de pez gato

17

DIECISIETE

rayas de cebra

18

DIECIOCHO

rombos en una
serpiente

19

DIECINUEVE

dientes
de cocodrilo

20

VEINTE

bálanos en...

1

UNA

ballena
jorobada

Los animales que aparecen en este libro

RINOCERONTE INDIO: Un mamífero de piel gris, sin pelo, que actualmente está en peligro de extinción y sólo se encuentra en algunas reservas naturales de la India y Nepal. El rinoceronte indio tiene un solo cuerno puntiagudo de queratina, una proteína que también se encuentra en el cabello, y se alimenta principalmente de hierbas y arbustos.

CAMELLO BACTRIANO: Un rumiante de color pardo y peludo, nativo del desierto de Gobi en Mongolia, con largas pestañas y narinas que puede cerrar para impedir que le entre arena en los ojos y la nariz. Los camellos tienen dos gibas que almacenan grasa, y de allí sacan la energía para subsistir a medida que se van reduciendo esas jorobas, lo cual les permite aguantar sin comida ni agua durante largos períodos. Se les emplea normalmente como animales de carga.

CAMALEÓN: Un reptil que se encuentra en el sur de Europa, en el Oriente Medio, en el suroeste de Asia y en África. Tiene una lengua alargada, pegajosa y muy rápida que usa para atrapar insectos. Sus ojos pueden ser movidos independientemente el uno del otro. Los camaleones son conocidos por su habilidad para cambiar de colores, respondiendo a los cambios de luz, temperatura o ambiente.

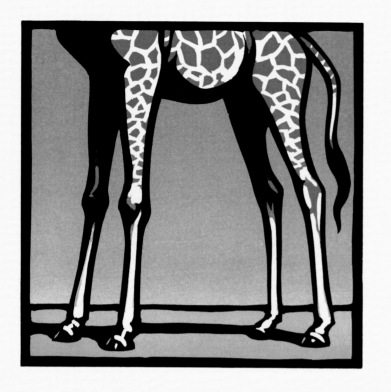

JIRAFA: Un mamífero herbívoro que vive en las sabanas y las selvas africanas. Tiene el cuello largo y musculoso, unas manchas características en el pelaje y unas patas largas y delgadas con cascos pesados con los que puede defenderse si algún animal la ataca. Es el animal que menos tiempo duerme y a veces lo hace de pie.

ESTRELLA DE MAR: Un invertebrado marino de cinco brazos, piel rugosa y áspera y un sistema nervioso carente de cerebro, que se encuentra en todas las zonas costeras. La estrella de mar puede regenerar un brazo si lo pierde, e incluso puede dar lugar a un nuevo individuo a partir de un brazo arrancado. Puede tener digestiones externas, es decir que para digerir los animales de los que se alimenta saca el estómago por la boca.

RANA TORO: Un anfibio acuático marrón verdoso, llamado así por su gran tamaño y peso y su croar retumbante. Originaria de Estados Unidos, se encuentra en muchos países de América Central, América del Sur y Europa. Las poderosas patas traseras de la rana toro le permiten salir a la superficie del agua de un salto para cazar insectos, jóvenes pájaros e incluso pequeños mamíferos que detecta con sus grandes ojos saltones.

MARIQUITA DE SIETE PUNTOS:

Un pequeño insecto rojo y redondo que come pulgones, y se encuentra comúnmente por todo el mundo en zonas templadas. La mariquita tiene un falso caparazón hecho de una sustancia rígida, similar a la de las uñas de los humanos, y con siete puntos negros, que protege sus finas y transparentes alas.

PULPO: Un molusco marino carnívoro con un cerebro bien desarrollado, que arroja chorros de agua para moverse con rapidez y que emite tinta cuando se siente amenazado. El pulpo se encuentra en todo el mundo, en aguas tropicales y templadas. Tiene ocho largos tentáculos, que puede regenerar si pierde alguno, y cada uno de ellos tiene dos filas de ventosas.

ZARIGÜEYA: Un marsupial nocturno con una nariz larga y puntiaguda y una cola prensil, que vive principalmente en las zonas boscosas y herbosas de América. La hembra lleva sus crías en una bolsa abdominal durante aproximadamente dos meses hasta que hayan crecido lo suficiente para poder subirse al lomo de la madre, donde los llevará durante otras cuatro a seis semanas.

OSO PARDO: Un mamífero grande y peludo que vive en los bosques y las tundras de Europa, Asia y América del Norte. Los osos pardos son omnívoros y marcan su territorio mordiendo, restregando y arañando la corteza de los árboles de su territorio, para hacérselo saber a los otros osos.

BARNACLA CANADIENSE: Un ave migratoria con pechuga blanca y cuello largo y negro, que habita en pantanos, ríos, estanques, lagos y campos del América del Norte. Esta oca se aparea para toda la vida. La hembra construye el nido e incuba los huevos mientras el macho ayuda a proteger y cuidar de las crías después de que hayan nacido.

CIERVO: También llamado venado, es un mamífero ungulado, herbívoro, con pelaje pardo rojizo y cola corta que se encuentra en Europa, Asia y América del Norte. El ciervo macho tiene grandes cuernos ramificados que usa para luchar con otros ciervos durante el período de celo y que renueva cada año.

ORUGA DE THYRIA JACOBAEA:

La larva de la mariposa *Thyria jacobaea* fue introducida en todo el mundo para ayudar a frenar la extensión de la nociva hierba de Santiago *(Senecio jacobaea)*, de la que se alimenta. Esta oruga tiene unos anillos negros y amarillo anaranjado que forman los segmentos. Crece rápidamente en un mes antes de convertirse en crisálida dentro de un capullo, de donde saldrá al cabo de nueve meses como mariposa, en primavera.

LÉMUR DE COLA ANILLADA: Un pequeño mamífero primate con una cola muy larga y con anillos transversales de color negro; es originario de Madagascar y se nutre de frutas, hojas y cortezas de árboles. El lémur de cola anillada macho se frota la cola para difundir su olor e imponerse sobre otro macho.

PANTERA NEBULOSA: Un felino de tamaño medio, carnívoro, que vive en los bosques del sudeste asiático y no ruge. Es muy ágil trepador y suele cazar desde los árboles. Su pelaje tiene grandes manchas de color pardo con borde negro en forma de nubes, que le permite camuflarse entre las hojas. Es una especie en peligro de extinción, debido a la caza furtiva y a la deforestación de su hábitat.

PEZ GATO AZUL: Un pez gato, de color gris azulado que vive en las aguas calmas de los ríos del centro y sur de los Estados Unidos. Puede llegar a pesar hasta los 50 kg. El pez gato se llama así a causa de sus barbillas semejantes a los bigotes de un gato, que se extienden a cada lado de sus mandíbulas y que le sirven para detectar la comida.

CEBRA: Un herbívoro pariente del caballo, con pelaje rayado, originario del este de África; tiene una melena corta y encrespada, y una cola que acaba con un mechón. Las rayas blancas y negras de la cebra común le sirven de protección en su hábitat natural y sus dibujos únicos ayudan a las cebras a reconocerse entre sí.

CRÓTALO DIAMANTINO: Una serpiente de cascabel que se encuentra en el sureste de Estados Unidos. Es venenosa y puede llegar a medir más de dos metros y medio. Tiene un cascabel en el extremo de la cola que agita para avisar a los depredadores. Los dibujos en la piel le permiten camuflarse entre las matas y hierbas del sotobosque de su hábitat.

COCODRILO: Un reptil grande y carnívoro que vive en las aguas tropicales de África, Asia, Australia y América Central, y en Florida. Los cocodrilos tienen unas potentes mandíbulas con dientes imbricados entre sí, lo suficientemente fuertes para triturar los pequeños mamíferos con los que se alimentan.

BÁLANO: Los parásitos que se adhieren a las ballenas y a los barcos son unos crustáceos sin pedúnculo que se alimentan de microorganismos mientras avanzan con las corrientes oceánicas. Viven en el océano Atlántico norte y el mar del Norte.

BALLENA JOROBADA: Un gran mamífero gris que pesa aproximadamente cincuenta y nueve toneladas y llega a vivir hasta los noventa y cinco años. La ballena jorobada tiene unas barbas formadas por láminas córneas adosadas a la mandíbula superior que separan y retienen el krill, el plancton y los pequeños peces mientras expulsan el agua de la boca.

Christopher Wormell es un destacado grabador en madera. Inspirado por las obras de Thomas Bewick, empezó a hacer grabados en madera en 1982 y desde entonces ha ilustrado varios libros además de trabajar en el campo de la publicidad, el diseño y la ilustración de textos.

Mucho antes de que Christopher trabajara como grabador en madera, su padre le enseñó el grabado en linóleo para producir tarjetas de Navidad principalmente. Cuando se acercaba la Navidad, el hogar de los Wormell se transformaba en una pequeña empresa casera en la que Christopher y sus hermanos y hermanas producían centenares de tarjetas hechas a mano.

Su primer libro infantil, *An Alphabet of Animals,* empezó como una serie de ilustraciones sencillas y multicolores en grabado al linóleo para su hijo Jack, y con el tiempo se convirtió en un libro que obtuvo el Premio de Ilustración en la Feria de libros infantiles de Bolonia en 1991. Editorial Juventud publicó su obra *Dos Ranas.*

Vive en Londres con su esposa y sus tres hijos.

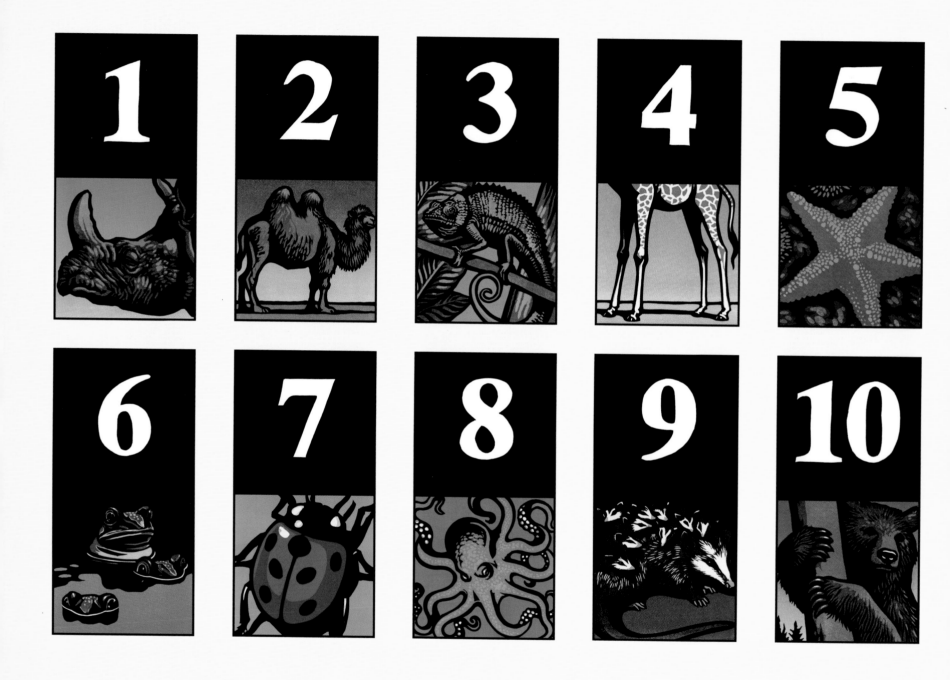